L'ORNITHORYNQUE et l'arbre magique

SCÉNARIO

ERIC OMOND

DESSIN

YOANN

Pour Gustave, Lucie et Benjamin.
Remerciements à Pascal Rabaté,
Marc-Antoine Mathieu et tous ceux qui m'ont soutenu.
Y.

Dans la même série :
Tome 1 : Toto l'ornithorynque et l'arbre magique
Tome 2 : Toto l'ornithorynque et le maître des brumes
Tome 3 : Toto l'ornithorynque et les prédateurs
Tome 4 : Toto l'ornithorynque et le bruit qui rêve
Tome 5 : Toto l'ornithorynque et les sœurs cristallines
Tome 6 : Toto l'ornithorynque au pays du ciel
Tome 7 : Toto l'ornithorynque et le lion marsupial

ISBN 978-2-211-20663-1

Loi n° 49-956 du 16 juillet 1949 sur les publications
destinées à la jeunesse : octobre 1999
Dépôt légal : mai 2012.
Lettrage : Jean-Marc Mayer
Conception graphique : Trait pour Trait
Imprimé en France par Pollina à Luçon - L59914

LE JOUR SE LÈVE SUR UN PETIT COIN DE L'AUSTRALIE...

Mmhh?!

OUAAH!
Rien de tel qu'une bonne tartine de vers de vase au petit déjeuner!

VOiCi TOTO L'ORNiTHORYNQUE QUE RiEN NE POURRAiT RENDRE MOROSE...
MiAM

ZUT! C'est bien ma veine! Plus de vers de vase ni de crevettes !!
Si CE N'EST D'AVOiR LE VENTRE ViDE !

HEUREUSEMENT, QUAND ON HABiTE UNE RiViÈRE, LA NOURRiTURE N'EST PAS LOiN...
En plus, une baignade matinale ne me fera pas de mal !

BOING
PLOUF

SPLASH

?

PLUS D'EAU !!
Y'A PLUS D'EAU !!

La rivière a tout emporté !
J'ai trouvé juste de quoi tenir jusqu'au déjeuner.

Que vais-je devenir ?

ET IL RESTA UNE BONNE HEURE À SE POSER LA QUESTION...
Snif

WAWA !!
?!

TOTO ! Quelle surprise !
Super !
Qu'est-c'tu fais là si tôt ?
Hein ?
Wawa, c'est horrible ! Il n'y a plus d'eau dans la rivière !
3

La séche-
resse!
C'est la
séche-
resse!
CATAS-
TROPHE!

Mais non, mes petits eucalyptus sont en pleine forme!
Je crois plutôt que la rivière doit être bouchée en amont.

SUPER!
Voilà une excellente occasion de se balader! Remontons la rivière!
Mais cela risque de nous éloigner longtemps de nos maisons.

Mais non! Pas si vous passez par la forêt!

La rivière décrit un arc de cercle, mais à vol d'oiseau, il n'y en a que pour deux heures.

Bonne route!
Merci.

Tu es sûr que nous sommes dans la bonne direction?
Regarde cet arbre rouge, plus haut que les autres. Je vais y grimper et je pourrai voir le chemin à prendre.

Alors, allons-y.
YOUPIE!

5

PLUS L'ORNITHORYNQUE ET SON AMI KOALA SE RAPPROCHAIENT DE L'ARBRE ROUGE, PLUS LA FORÊT ÉTAIT CALME ET SILENCIEUSE...

UN VIEUX WOMBAT SEMBLAIT LES ATTENDRE DEPUIS TOUJOURS ...
Que venez-vous faire ici, jeunes animaux ?....

Nous voulons grimper en haut de l'arbre rouge et retrouver notre chemin.

C'est impossible! Cet arbre est magique, et plus vous grimperez, plus il vous semblera vous éloigner du sommet!

Ah bon? L'arbre va grandir alors?
Au contraire : c'est vous qui aurez l'impression de rapetisser... c'est magique!
Hu Hu!

Ça c'est pas de chance!
Y'a plein d'arbres, et nous, 'faut que nous tombions sur celui qui est magique!

Peut-être savez-vous où est la rivière?
Ma foi non, je ne bouge guère d'ici...

...Mais j'ai quelque chose qui peut vous aider...

7

?...
?!

Regardez ces brins d'écorce. Quand ce sera le moment, plantez-les dans le sol.

A' quoi ça sert ?
La première réveillera l'esprit du passé, la deuxième l'esprit du présent, et la dernière celui du futur...

NOS DEUX AMIS REMERCIÈRENT LE VIEUX WOMBAT ET REPRIRENT LEUR ROUTE...
Il est pas bien dans sa tête ! J'aurais mieux fait de grimper dans l'arbre...

9

* Eucalyptus

C'est la queue d'un animal qui a dû se faire manger par un plus gros que lui...
MAIS C'EST DÉGOÛTANT !!

Les herbivores, vous êtes trop sentimentaux. Il faut bien se nourrir. C'est la nature.
Eh bien, celui-là n'avait pas très faim. Il n'a pas fini son repas.

WAWA ET TOTO RENCONTRÈRENT D'AUTRES ANIMAUX MORTS. ILS ÉTAIENT ÉTONNÉS, CAR À PART L'HOMME, ILS NE CONNAISSAIENT PAS D'ANIMAL QUI TUAIT POUR LE PLAISIR.

Toto, j'ai peur! Allons-nous-en d'ici!
Moi aussi, je suis inquiet. Qu'a-t-il pu se passer?

PASSÉ ?
Mais oui! La première écorce est celle du passé! En la plantant, nous saurons ce qui est arrivé.
N'importe quoi!

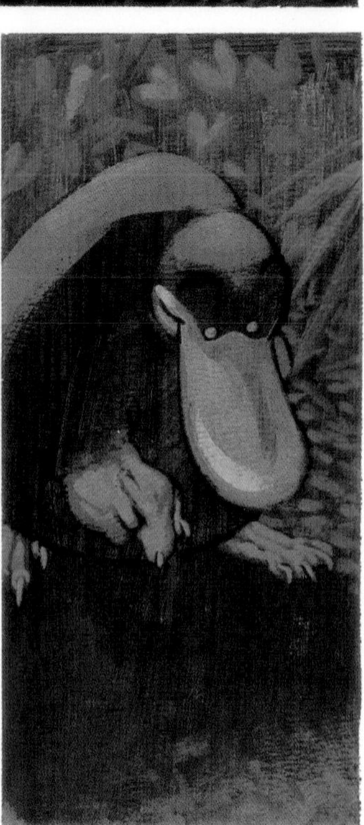

10

WA!!

Bon... Bonjour. Qui es-tu?
Je suis l'esprit du passé, le fantôme des animaux morts.

Nous étions tous en paix dans la forêt avant que ne vienne la BÊTE...
La BÊTE nous avait interdit de venir près de la rivière.

Mais nous avions trop soif et à la nuit tombée...
... nous sommes allés boire à la rivière malgré l'interdiction.

Et alors?
La BÊTE était là ! Elle nous a poursuivis jusqu'ici.
11

ET ELLE NOUS A TOUS TUÉS !!
HA !

Ce n'est pas de chance ...nous allions vers la rivière, mais s'il y a la BÊTE, autant faire demi-tour.

NON ! Car vous avez des écorces magiques et vous pourrez vaincre le monstre.

Je suis l'esprit du passé et je souffre trop souvent d'être oublié...
... Alors, en souvenir des animaux morts allez combattre la BÊTE !
D'accord. Nous jurons d'essayer.
Ça va pas ! T'es fou ou quoi ?

Vous trouverez la rivière en continuant dans cette direction.
Merci. Nous ne t'oublierons pas.

WAWA! Regarde cette drôle de chose!
On dirait un cactus qui tremble!

Les cactus ne tremblent pas.
C'est peut-être le vent qui le fait bouger.
Il n'y a pas de vent.

13

Alors... heu... c'est peut-être un cactus ou un animal...
¡DIOT! Un animal ne peut ressembler à un cactus!

Si!
?
WAA!

Quel drôle d'animal... Pourquoi trembles-tu?
Je suis Chichi l'échidné.
Je suis en boule car j'ai eu très peur.
Moi aussi!

La BÊTE m'a poursuivie jusqu'ici. Elle avait de grandes dents et des yeux brillants!

Elle ne m'a pas mangé à cause de mes piquants.
J'ai des écorces magiques pour combattre la BÊTE. Viens avec nous et tu n'auras plus peur...
C'est pas vrai, moi j'ai quand même peur!

D'accord, comme ça, je vous aiderai à reconnaître la BÊTE.

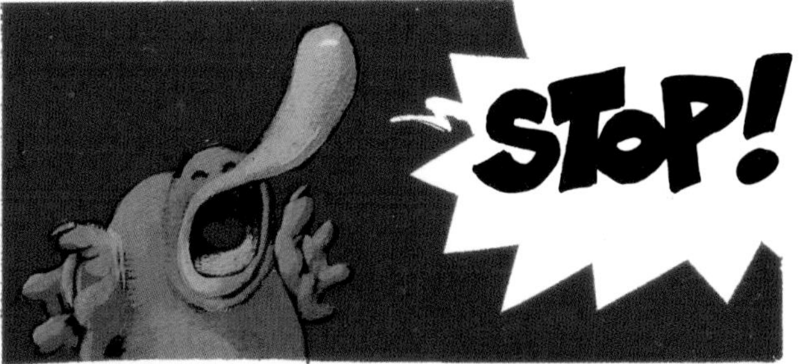
STOP!

C'est malin de s'arrêter comme ça ! J'ai failli me piquer sur Chichi !
J'AI FAIM !!

Et alors ? Moi j'ai faim, mais je n'ai plus d'eucalyptus...
...et ici il n'y a pas de fourmis rouges.
Que va-t-on devenir à présent, si nous n'avons rien à manger ?

Tu as parlé de présent ?
Plante la deuxième écorce, celle du présent !

Qu'est-ce qui va se passer ?
Un truc super !
GÉNIAL !!
OUAIS !
... mais je sais pas quoi.

15

UN GRAND PARADISIER DESCENDIT DU CIEL !

Bonjour, je suis l'esprit du présent.

Chaque jour est un nouveau défi pour l'animal.
Il doit travailler pour survivre et se nourrir...

Aujourd'hui vous avez faim... alors le vert de mon plumage sera l'eucalyptus...

... L'orangé sera les vers et les crevettes...

...Et le rouge les fourmis.

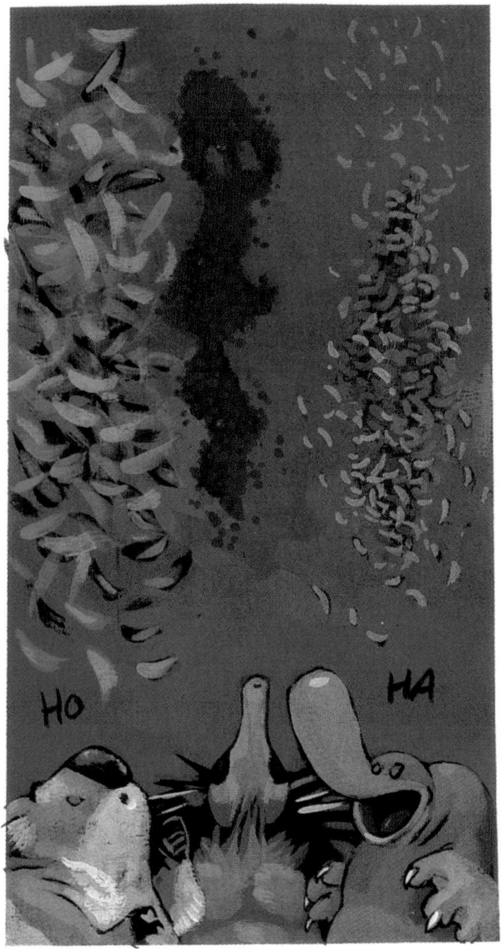
HO
HA

17

Quel dommage que l'oiseau ait disparu en se transformant, il était si beau...
...et si bon.

Je n'ai pas disparu, je suis toujours là ...
Où ça? Je ne vois rien.

Je suis invisible maintenant, comme le présent je ne dure qu'un temps, sitôt arrivé et déjà parti...
... Mais pour peu qu'on y fasse attention, tous les jours je renais plein de nouvelles couleurs.

Merci esprit du présent, maintenant nous ferons attention à toi.

HiHi!
HA!
HA HA!!

HAAA!!

AU SECOURS!
Quoi encore ?

En passant devant le buisson, j'ai vu deux yeux brillants !
Allons voir ça de plus près...

Hiii! C'EST LA BÊTE!

LA BÊTE!!
WHAAAA!

?
?
?

19

GLAGLA
HAHA
HAHA

Pourquoi vous riez?
Parce qu'il n'y a pas de bête!
HA HA HA
Nous avons pris tes lunettes pour des yeux brillants!

Mes lunettes! Hahaha!

HU HU HU!
Je suis Riri la chauve-souris, et vous, que faites-vous là?
Nous cherchons la rivière, il paraît que c'est tout droit!

Pas de problèmes! En volant au-dessus des arbres, je vais vous guider!
C'est une super idée!

C'est par là! Suivez-moi!

HÉ! PAS SI VITE!

MAIS À LA FIN DE LA JOURNÉE...
Mince ! Où on est ?

Heu... Je crois que j'ai confondu les reflets du soleil... ça fait comme l'eau !...

C'est pas possible ! Tu nous as complètement perdus !
C'est que je suis un peu myope...
Le soleil se couche ! Le mieux, c'est de rester à dormir ici !

Plantons l'écorce du futur, peut-être nous aidera-t-elle pour demain.
Bonne nuit, Toto.

21

TOTO ! Il est temps de rêver !

Je suis où ?
Dans mon pays... Je suis l'esprit du futur, l'esprit des rêves.

Ah bon ? Et qu'est-ce qu'on va faire ?
Se promener ...
Profiter de ton sommeil...

Mais je n'ai pas le temps, je dois retrouver la rivière.
Il faut faire confiance à ses rêves... apprendre à espérer.

Tu vois ce boomerang ? Vas-y !

Va dans cette direction, et tu verras une croix.

Et maintenant ? Je fais quoi ?
Tu te sers de tes oreilles...

J'entends une musique... Qu'elle est belle !

Suis cette musique et n'oublie pas d'écouter tes rêves.
Merci ! Cet air me redonne espoir !

TOTO ! Il est temps de se lever !
Mm?

LÀ-BAS !! LE BOOM-RANG !
Quoi ?
?

Toto, attends-nous !
Qu'est-ce qui lui prend?
YOUPIE!

Je vois la croix! Super!

Et maintenant, servez-vous de vos oreilles !
Qu'est-ce qu'il dit?
Voilà autre chose!

J'entends le bruit de l'eau.
HO!

Suivons ce bruit...

TOTO ET SES AMIS ONT COMPRIS CE QUI A ASSÉCHÉ LA RIVIÈRE : DES BRANCHES ONT ÉTÉ MISES EN TRAVERS POUR FAIRE UN BARRAGE.

Bonjour Gecko, qui a mis ces branches ici ?
Partez vite, car c'est la **BÊTE** qui a fait ce barrage !!

Les habitants de l'eau qui descendent la rivière sont coincés et la **BÊTE** les mange !
Et comme la rivière est devenue trop large, ceux qui veulent traverser sont pris au piège !

Nous n'avons plus d'écorces magiques, tout est perdu...

25

Regardez! Un Phalanger qui saute par-dessus l'eau!

PLOUF

AU SECOURS!

Mon dieu!

LA BÊTE!!

RiRi ! Va voler au-dessus de la BÊTE !
Mon dieu !
HA!

HA!

Chichi, Wawa, Venez avec moi !

HOO!
HISSE!

27

Par là,
il y a plus
de courant !

?

HAAA !

La rivière est libérée !
Hourra !

ET ILS DESCENDENT LA RIVIÈRE EN UN TEMPS RECORD !
Bravo !

29

FIN DE L'ÉPISODE.

YOANN 97 -OMOND-